Para Sophie

Título original: AB INS BETT, NILS!
© Marcus Pfister Spiegel, Suiza 2008,
a través de la agencia literaria books&rights, Zurich, Suiza
www.books&rights.com
© EDITORIAL JUVENTUD, S. A., 2008
Provença, 101 - 08029 Barcelona
info@editorialjuventud.es
www.editorialjuventud.es

Traducción: Christiane Reyes Scheurer
Primera edición, 2008
Depósito legal: B. 15.954-2008
ISBN 978-84-261-3673-2
Núm. de edición de E. J.: 12.000
Printed in Spain
A.V.C. Gràfiques, Av. Generalitat, 39 - Sant Joan Despí (Barcelona)

Marcus Pfister

¡A la cama, Hipo!

editorial juventud
Barcelona

Un nuevo día llega a su fin y papá Hipo dice:
«¡La cena está lista! ¡Ven a comer, Hipo, se ha hecho
tarde y pronto será hora de ir a dormir!
Pero ahora Hipo no quiere comer.
Y menos aún ir a la cama. ¡No!
Hipo prefiere jugar. Con su tren, por ejemplo,
o mejor todavía, con su papá.

Hipo no tiene hambre. Mira su plato con desgana,
y empieza a jugar con la comida. Y esto no le gusta
nada a papá Hipo.

«Cuando te hayas bebido el vaso
de leche y te hayas cepillado los dientes,
jugaremos un ratito», dice papá.

Hipo está orgulloso de saber cepillarse los dientes
él solo. Papá comprueba que se los haya limpiado bien.
Después Hipo se lava la cara.

—Será mejor que te meta ahora mismo en la bañera —dice
papá Hipo.

—¡No! —contesta Hipo—. ¡Ahora quiero jugar!

Hipo corre por toda la casa.

«¡Atrápame, si puedes!», grita Hipo, dando chillidos de alegría. ¡No hay nada más divertido que jugar a pillar con papá!

Finalmente Hipo se sienta en la bañera y papá Hipo
lo lava y lo frota bien desde la punta de las orejas
hasta los dedos de los pies.
–No es tan horrible, ¿verdad? –dice papá Hipo.
Luego lo seca con la toalla.

«Y ahora ¿jugamos al escondite?», pregunta Hipo.
Cuenta: 1 . . . 2 . . . 3 . . . 4 . . . 5-6-7-8-9-10
mientras papá Hipo se esconde.

–¡Te he encontrado! –grita Hipo.

–Sí, me has encontrado –dice papa riéndose mientras hace volar por los aires a Hipo como si fuera una pelota.

–Ya es hora de irse a la cama –dice papá.

–¿Me lees antes mi cuento preferido? –pregunta Hipo–.

¡Por favor, por favor!

¡Tres veces tiene que leer papá el cuento preferido de Hipo!

–¡Y ahora te llevo a la cama! –dice papá.

–¡Pero antes quiero bailar!

Hipo empieza a saltar por toda la habitación. Arriba y abajo. Y bailan los dos con la música preferida de Hipo. Hasta que papá se queda sin aliento.

–¡Y ahora a la cama! –dice papá.

–Tengo sed.

–No me extraña, después de tanto saltar –suspira papá mientras le trae un vaso de agua.

–Y ahora tengo que hacer pipí –dice Hipo.

Al volver, Hipo corre a sentarse sobre el regazo de papá.

–¿Me puedes cantar mi canción preferida? Por favor, papá.

Papá bosteza.

–¡Bueno, de acuerdo, pero después a la cama!

Cantan los dos juntos la canción preferida de Hipo.

Papá desea las buenas noches a Hipo con un gran beso.

Y por fin se queda dormido… ¡papá!

–¡Buenas noches, papá! Mañana seguiremos jugando.

El pequeño hipopótamo se acurruca junto a su papá.

Y lentamente sus ojos también se van cerrando.